Hola

Hola

Hola
¡Síííííí!
Te oyeron, te están
diciendo
¡Hola!

Las abejitas quieren volar, pero no saben cómo hacerlo.
Pon a volar el libro como si tuviera alas de abeja y luego sopla fuerte para impulsarlas.

¡Síííííí!

¡Funcionó!,
las abejitas están volando.

Las abejitas son diferentes.

¿Puedes ver algo que las distinga a primera vista?
Busca un nombre que te guste para cada una.

¿Qué nombre elegiste para esta abejita?

Y esta abejita, ¿qué nombre lleva?

Y a la abejita que está aquí, ¿qué nombre le pusiste?

Una abejita va
distraída.
¡Va a chocar contra
un cactus...!

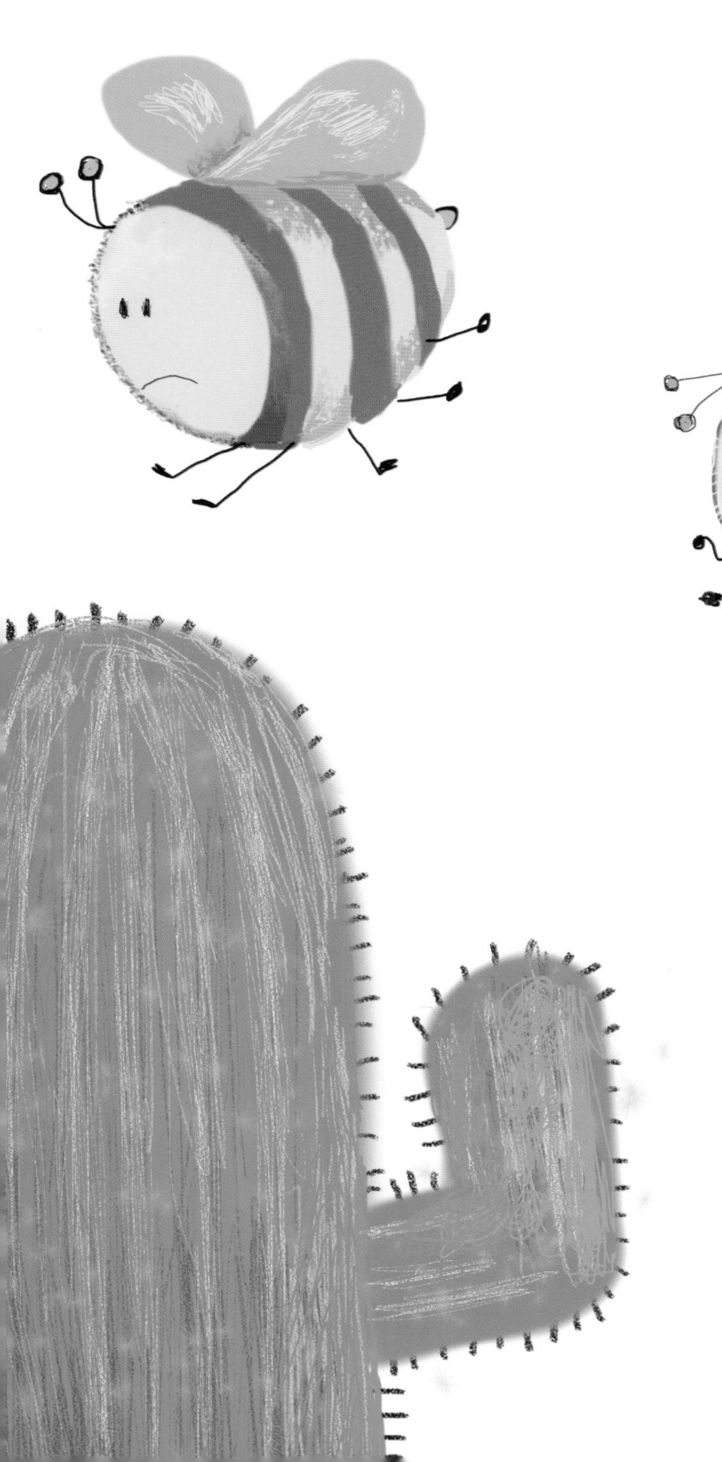

Ayúdala, llámala por
su nombre y grita
¡Cuidado con el cactus!

¡¡¡Uffffff!!!
Apenas logró
esquivarlo.

La abejita te da las gracias por ayudarla.

Las abejitas llegan
volando a un campo florido.

Las flores aún no han despertado.
Toca con tu dedo cada flor para que se abran al sol.

Sí, las flores se han abierto; ahora las abejitas se posan en ellas para recolectar néctar.

¡Uy! Los granos de polen han quedado adheridos
en todo el cuerpo de las abejitas.

Agita el libro
para ayudarlas a
desprenderse de
tanto polen.

¡Funcionó!
¡Dales tres aplausos y grita fuerte el nombre de cada una!

Ahora las abejitas llevan rico néctar a casa.

¡Síííííí!

A casa, la colmena donde todos esperan para darles la bienvenida a las tres abejas.